×くん

ぶん・え　坂野　春香

三恵社

×くんの おしごとは　まちがいに
×をつけること

きょうも　いっしょうけんめい　はたらいた

でも…

にんげん

「えー×?　さいあく

×なんて　なくなって　くれれば

いいのに」

「ぼくは　しごとを　していただけなのに
こんなに　うとまれて
ぼくは　いないほうが　いいのかな…」

×くんはへこんだ

○ちゃん

「ちょっと!

ひとの　きもち　かんがえたら!」

×くん

「○ちゃん、でも…」

◎ねえさん

「さすがに　かわいそうよ

いいかたってものが

あるんじゃないのかな」

×くん

「◎ねえさんまで…」

△くん

「みんな　いやがっているよ」

×くん

「△くん、でも、しごとが…」

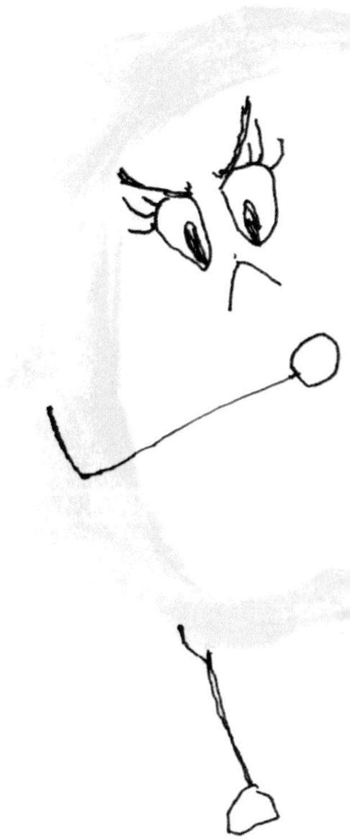

みんなから　ちゅういされた

みんなから　ひていされた

にんげん
「×、さいあく」
×くん
「だんだん　はらが　たってきた」

にんげん
「また、×かよ

×なんて　きえてしまえば　いいのに」

×くん
「かまうものか！　えーい!!」

おんなのこ

「あ、まちがえた　でも、

×は　せいこうのもと

×くん　ありがとう」

「えっ」

「さあ、おしごと　おしごと
いそがしい　いそがしい」

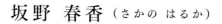

坂野 春香（さかの はるか）

2002年、愛知県に生まれる。小学6年11歳の時に、悪性脳腫瘍を発症する。

その後6年の寛解期間を経て、17歳で再発する。2度目の手術を受けた後は、右半身麻痺と失語症の障害を負う。そして再発から1年後、再々発し治療困難となり、2020年12月に18歳で旅立つ。

漫画家を夢見て絵を描き続け、右手が不自由になっても、利き手を左手に変えて、亡くなる1ヶ月前に、絵本『×くん』を完成させる。

家族の想い

絵を描くこと、それは春香にとって、生きる力そのものでした。

再発後の治療、リハビリ、精神症状を伴う発作と怒涛の日々の中で、絵本『×くん』を描き続けました。「人の心に何かを刻みたい」「人の役に立ちたい」と亡くなる10日前まで枕もとで願っていました。命と向き合いながら作ってくれた、この絵本を通して、春香のメッセージが多くの人の心に届くことを願っています。

また本人の希望で、7年間の闘病生活の記録を残しました。春香の人生を綴った『春の香り』もぜひ合わせて読んで頂けると幸いです。

×くん

2023年6月1日　初版発行

文・絵　　坂野 春香

発行所　　株式会社　三恵社
〒462-0056 愛知県名古屋市北区中丸町2-24-1
TEL 052-915-5211　FAX 052-915-5019
URL https://www.sankeisha.com/

　ISBN978-4-86693-806-6